«Rien détonnant avec Sol!»

«Rien détonnant avec Sol!»

Marc Favreau

Illustrations de Marie-Claude Favreau.

Stanké

Photos André Lecoz/Radio-Canada   p. 9, 28, 38, 44
                                    p. 17 (Sol et Bim, interprété par le
                                    comédien Louis de Santis)
                                    p. 18 (Sol et Gobelet, interprété par le
                                    comédien Luc Durand)
Photos François Rivard   Photos de la page cóuverture
                                    p. 26, 30, 91, 96, 100, 166, 168, 170
Photos R. Rompré   p. 67, 82, 111, 112, 120, 126, 137, 147
Photos Denis Plain   p. 52, 55
Photos Raymond Charrette   p. 154, 164
Photo Bernard Norbert   p. 148

Dépôt légal :
1er trimestre 1978
ISBN 2-7604-0108-1

Quand un volcan
se contemple le nombril
il n'y voit que du feu...

PARASOL

Miche*: Marc transpose toujours en SOL.

Et c'est doublement vrai, puisque les mots deviennent musique dans le langage de SOL. Mais il y a pire, c'est la dualité du personnage MARC-SOL qui est difficile à cerner. J'ai beau avoir fréquenté Favreau depuis belle lurette, n'empêche que je ne sais pas où se fait le joint entre MARC et SOL. Je sais seulement que j'ai un ami qui a du génie. Mais allez donc dire ça au monde, ils vont vous prendre pour un inSOLent! . . . Fait rien, moi, je le dis parce que je ne crains pas la contamination par le génie. Je suis immunisé contre cet elfe sorti de nos neiges démentes et de nos espaces à couper le respir. SOL a poussé de ce grain de folie semé par les feux-follets et les loups-garous. Le voilà en pleine Chasse-Galerie qui propulse la légende dans une poudrerie de mots et d'images à éclipser la pire bordée du Jour de l'an.

Jean: Des fois, tu sais, je peux pas te suivre.

Marc: Ça m'arrive aussi de courir derrière SOL! . . . Ou devant?

Jean: Il y a tout le temps le problème des bessons avec toi!

---

*Miche, c'est Micheline Gérin. Je l'ai baptisée Dona SOL. Marc l'appelle Fleur de fenouil.

Marc: Bien sûr, je le nourris de moi, SOL. Il me permet de dire mes vérités à travers lui. NOUS sommes SOL!

Jean: Comment concilier son regard d'enfant et son œil acerbe?

Marc: En caricaturant.

Jean: Tu vois, j'ai du mal à imaginer SOL en caricature.

Marc: Attention! SOL n'est pas une caricature, il caricature!

Jean: Ça serait plutôt *Les Caprices* de Goya?

Marc: Si tu veux. Ça débouche sur la disproportion.

Jean: Jusqu'où ça pourrait aller?

Marc: Oh! dangereusement loin. Imagine SOL se prenant pour un laser? . . . Qu'il devienne mégalomane, tu te rends compte?

Jean: Comme Don Quichotte?

Marc: Ou comme ces dictateurs fous?

Jean: En somme, le personnage de SOL vit de . . .

Marc: L'I-M-A-G-I-N-A-T-I-O-N. C'est la clé. Il n'y en a pas d'autre. A partir de là, c'est l'infini. Tu débouches sur la poésie pure. Celle du mot. Le monde de SOL est verbal. SOL est emporté par la richesse du mot. Il devient un verbo-moteur. C'est une fleur, un papillon, un enfant, un naïf, un témoin, un ange. Il ne raisonne rien, il résonne ce qu'il entend autour en déformant. Tiens, comme un enfant qui répète de travers ce qu'il a entendu.

Jean: J'avais une sœur qui, lorsqu'elle voulait parler d'une assiette, disait la nassiette.

Miche: C'est du vrai SOL. Notre fils, Patrice, lorsqu'il entendait mentionner les cols bleus, nous demandait: « Mais où elle est l'école bleue? »

Marc: Quand j'étais jeune, mon père avait creusé un trou dans la cour et il y avait des tuyaux qui s'entrecroisaient au fond de la fosse. Dans ma tête de petit garçon, la terre entière était sillonnée de tuyaux en dessous de nos pieds.

Jean: SOL procède de la même façon, par des visions enfantines?

Marc: Une autre idée d'enfant. Lorsque je voyais les arbres bouger je leur disais d'arrêter de faire du vent. Je
leur donnais un pouvoir, comme ça, spontanément.
SOL fait pareil, il tourne ses visions enfantines à l'envers et ça y est, la magie!

Jean: Si je comprends bien, SOL peut s'émerveiller de
tout mais il ne s'étonne de rien.

Marc: Absolument. SOL verrait la place Ville-Marie
mauve, la tête en bas, qui se promènerait sur le fleuve
Saint-Laurent, il trouverait ça très amusant et ce qu'il
y a de plus normal. Son monde lui permet l'infini. Il a
une vision crétine des choses, loufoque, ouverte. SOL,
c'est mon divan de psychiatre, c'est une poubelle que
je remplis de mes fantasmes.

Jean: Ça pourrait être le contraire? La déMARCation est
difficile à faire?

Marc: C'est une déMARCation difficile à faire, oui. Je
ne tiens pas à la faire non plus.

Jean: Il te gêne, des fois, SOL?

Marc: En me levant certains matins, il est un peu gênant.
il cherche à dire quelque chose et il encombre mon sub-
conscient. Parce que c'est là que ça se passe, souvent.

Miche: A la campagne, Marc s'en va se promener dans sa forêt. Il revient à la maison en disant: « SOL pourrait dire telle chose sur tel sujet! » Il est allé se promener avec SOL.

Jean: Tu pourrais le laisser mourir, SOL?

Marc: Il ne mourrait pas, il y aurait toujours des sous-sols quelque part.

Jean: C'est curieux, cette lignée de naïfs porte-parole qui ont été inventés depuis l'Auguste. Tu me fais penser à Charlot.

Marc: C'est un petit lui aussi. Il voit GRAND. Il vise les grands, avec sa fronde. Les SOL existent depuis toujours. Parce qu'il y a toujours une puissance plus forte qui écrase les moins forts. La revanche des petits est la satire, la caricature. Tu te souviens de ce passage du film *The Great Dictator* où Charlot jongle avec un ballon. C'est une image fulgurante qui a une force d'évocation terrible. C'est tout aussi fort que le monde de Kafka.

Jean: D'ailleurs, l'évolution de SOL s'apparente à celle de Charlot.

Marc: Si on veut. SOL, lorsqu'il était un personnage de télévision pour enfants, s'adressait à eux dans leurs mots, avec leurs yeux.

Jean: Comme Charlot des films muets faisait ses gammes avant de s'attaquer à la grande étude de mœurs et de caractères.

Marc: Charlot est devenu monsieur Chaplin après.

Jean: Comment le SOL pour enfants en est arrivé à notre SOL?

Marc: Par hasard. Avec un monologue qu'on m'a commandé. Je l'ai fait et il a plu, j'ai continué. Le personnage est resté foncièrement le même, ce sont ses objectifs qui ont changé. SOL ne s'adresse plus aux enfants, mais son mécanisme procède de l'enfance.

Jean: SOL peut tout dire, en définitive.

Marc: C'est seulement une question de forme. Même si tout a été dit, notre candeur humaine fait qu'on redécouvre sans cesse. SOL, lui, se fait le haut-parleur, il énormise.

Jean: Il reste quand même le « pauvre petit moi ».

Marc: SOL ne cherche pas le rire en premier. Il cherche le sous-rire. Voilà où ça devient extraordinaire. Aller chercher dans les mots les sens cachés. Les briser, les entrechoquer, les disséquer, les percuter, les projeter les uns contre les autres. Il en sort un monde verbal démentiel.

Jean: C'est le renouvellement du centaure ou de la sirène.

Marc: La chasse à l'hypoténuse.

Jean: Ton verbe est visuel. J'imagine très bien un cinéaste faisant un film avec les images de tes monologues. Ça serait aussi fascinant que ce Fantasia de Walt Disney qu'on a découvert dans notre enfance.

Marc: N'oublie pas que je suis un ancien dessinateur.

Miche: Tu as vu les dessins de notre fille Marie-Claude!

Jean: Quand je te vois en scène, moi, je suis au cirque. Tu es le clown, la contortionniste, le fil-de-ferriste, le dompteur de fauves, le prestidigitateur, l'ours qui patine. Peut-être à cause du costume et du maquillage, mais ça va beaucoup plus loin. Et quand SOL en pousse une au boutte, je tape des mains, malgré moi.

Marc: Les bateleurs ne faisaient pas autrement autrefois. La commedia dell'arte a donné naissance à toutes les autres formes qu'on pratique aujourd'hui. Mon métier de comédien est toujours là, derrière. Quand j'entre en scène, je m'en vais jouer. Marc connaît les règles du jeu, si SOL ne les connaît pas. C'est ce qui permet un certain contrôle de la déraison.

Jean: Ça va jusqu'à l'incantation, à des moments donnés.

Marc: Incantation . . .

Jean: Pour moi, oui. J'arrive à des moments où je peux plus avaler. C'est vertigineux.

Marc: Chose certaine qu'il arrive un point où SOL se saoule de mots, il se gargarise, il éclabousse. Les mots fusent, dans le sens de fusée en orbite.

Jean: Ça n'a jamais eu autant de sens que maintenant, cette expression-là.

Marc: SOL est un délirant, avant tout. Et un délire, ça ne peut pas être indigent. Il en faut à la tonne.

Jean: Nous voilà dans Jérôme Bosch.

Marc: Ah! je l'aime. Je l'aime comme Rabelais. Rabelais qui invente Gargamelle. C'est pas merveilleux ce nom? Il y a mamelle, gamelle, femelle, Gargantua, et le reste. On est en pleine poésie.

Jean: Est-ce que SOL serait pas la poésie de Marc et le délire la poésie de SOL?

Marc: Tu sais ça s'est gâté au moment où le monde est devenu cartésien. La langue est devenue sage, logique.

Jean: C'est pour ça que tu as donné ce cerf-volant à SOL. Moins il a de lest plus les mots montent, voltigent... vertigent, comme dirait SOL.

Marc: Voilà pourquoi SOL ne peut pas s'arrêter une fois lancé. Parce qu'il ne sait pas, lui, que c'est moi qui ai trouvé les mots qu'il dit. Il est tout content de la giclée de paroles qu'il lance, mais il ne sait pas d'où elles sortent.

Jean: Est-ce que SOL n'est pas difficile à suivre, des fois, pour une partie du public, au moins?

Marc: Peut-être que SOL court trop vite à des moments, mais l'important est que le public coure lui aussi. Il s'essoufflera tout comme SOL s'essoufflera à un moment donné. Tu sais, dans un feu d'artifice, tu perds toujours des jets de lumière quand arrive le grand jeu. C'est qu'il y en ait tellement qui devient fascinant. N'empêche que SOL doit être populaire, j'entends par là qu'il doit être à la portée de tous. Bien sûr, il y a certains sujets plus... subtils, plus recherchés, mais jamais hermétiques.

Miche: Tu prends LES COULEURS, par exemple. Je me souviens de la réflexion de l'habilleuse au théâtre où je jouais. Elle ne cessait de me parler de ce monologue-là comme d'une chose parfaitement visuelle. Elle n'avait pas besoin de connaître Braque ou Borduas pour suivre, le monde de la couleur suffisait. Et l'habilleuse est une femme simple, du monde ordinaire, comme on dit. Elle avait marché à fond.

Marc: Il faut dire, Jean, que les gens, quels qu'ils soient, ne demandent pas mieux que de décoller. Ils en ont assez des choses horizontales. Présente-leur un monde qui lève et ils vont embarquer. La poésie est dans tout ce qui nous entoure. Prends un pare-choc chromé, le plus courant qui soit. Et donne-le à SOL, tu vas voir tout ce qu'il y a derrière. La dimension poétique des choses! . . . Ce qui touche les spectateurs, c'est la recherche de l'humain chez SOL. Il est là, petit, démuni, dans la rue, dans le métro, dans les buildings, au théâtre, même, où il y a une prolifération électronique. Et SOL est là pour mettre le doigt sur le cœur, pour rappeler à l'homme qu'il existe et peut-être lui dire qu'il oublie qu'il existe, surtout.

Jean: Quelle est la plus grande force de SOL?

Marc: C'est d'être rien . . . Ça lui permet de jouer à être tout.

Jean: Quand tu construis les mots de SOL, qu'est-ce que tu recherches?

Marc: . . . Euh! . . . le rare! . . . Regarde! je dis, par exemple: « Mes parents, ils étaient pas riches, les pauvres. » C'est bon, amusant, mais pas assez. Si j'ajoute: « J'ai pas grandi entre parenthèses. » C'est déjà mieux. Je suis mon premier auditeur, forcément. Des fois, je m'amuse beaucoup.

Jean: Comme dit l'autre: Je m'aime moi-même . . . *(rire de Miche).*

Marc: Non, mais je goûte à ma sauce, tu comprends?

Jean: Une fois le mécanisme déclenché, ça ne s'arrête plus.

Marc: Non, je pars d'une mouche dans ma soupe et je finis dans la pollution, aux Nations-Unies, la bombe atomique . . .

Jean: SOL t'échappe comme la bombe a échappé à Einstein!

Marc: Les retombées sont moins dangereuses . . .

Jean: Te verrais-tu en scène, sans manteau, sans maquillage, sans SOL?

Marc: Marc Favreau?

Jean: Oui, le comédien.

Marc: Très bien. Je parlerais directement, sans intermédiaire. Ça serait la même chose . . . plus dépouillée encore!

Jean: Le délire resterait présent?

Marc: C'est essentiel. Enlève le délire du monde actuel, il ne reste rien. Il faut sortir du quotidien. Moi, je n'en ai rien à faire de jaser autour d'une tasse de café. Ou alors, ma tasse doit léviter ou bouillir.

Jean: Ça peut devenir du jeu gratuit, tu ne penses pas?

Marc: Là, il y a un écueil. Mais si tu vas toujours en premier à l'humain, avec de la chair, tu ne seras pas uniquement un dévidoir.

Miche: Je crois que le délire, l'imagination, la folie doivent être non pas intellectuels mais sensoriels pour rester humains.

Marc: Mais oui! mais oui! Surtout quand tu as affaire à SOL qui projette le côté petit de l'homme.

Jean: C'est pourquoi il peut nous émouvoir.

Marc: Quand je prends des clichés éculés et que je les recolore d'une nouvelle teinte, c'est pour montrer que derrière la banalité désolante de tous les jours, il y a le mystère, l'évasion. Pourquoi penses-tu qu'il y a un engouement à l'heure actuelle pour les sociétés secrètes, les mondes bizarres, inconnus, les fantômes, Dracula et autres?

Jean: La télévision, c'est de la magie, aussi.

Marc: Jusqu'à un certain point. C'est également de la conserve, ça limite l'imagination. Quand tu montres *l'Ile au trésor* à un enfant dans un cadre fixe en lui disant: « L'*Ile au trésor*, c'est ça. » Eh! bien, l'imaginaire en prend un coup. C'est bien loin du temps où on lisait Jules Verne ou qu'on écoutait *Madeleine et Pierre* à la radio. Là tout était possible. Le monde n'était pas fixe.

L'univers de SOL ne peut pas être fixe, c'est pourquoi il entraîne le spectateur dans sa course débridée. Il enfonce les calembours, les jeux de mots intellectuels pour déboucher sur l'inconscient. Avec sa poésie verbale, Marc Favreau sculpte un univers sonore où la logique, la règle, l'ordre sont exclus. Place à la démesure, à la déraison! Le mot sort de sa gangue comme la forme sort de la pierre chez les Inuit, parce que la pierre retenait la forme, comme le dictionnaire retenait le mot prisonnier. Une fois lâché, il ne s'arrête plus. Favreau a cette puissance d'invention que le texte imprimé comprime. Puis-

*que le livre ne fait que prolonger le verbe parlé. C'est un
écho, ça ne suffit pas. Pour atteindre sa cible, la poésie de
Marc Favreau a besoin d'être dite, comme la tragédie. Le
livre sert au souffleur. Quand ce poète fou est né, il y
avait là un grand manitou et un jeteux de sorts, c'est sûr.
Comment expliquer autrement cette démence?*

Miche: Pour moi, c'est son état naturel, je l'ai toujours
connu comme ça.

Jean Daigle

Parce que le verbe se fait de plus en plus cher,
Sol travaille seul, silhouette de clown en tête à tête
chercheuse avec son petit moi . . .

C'est un témoinconscient, un égratigneur tour à tour
satironique, tendre ou pitoyeux . . .
un verbo-promoteur qui débarbouille la langue
et se rebâtit un petit monde à l'aide de flashes échevelés,
délestant ses grandes poches de tous accessoires
pour atteindre l'essenciel! . . .

C'est une auguste cloche qui résonne en flagrant délire
Un extra-lunaire démesurréaliste
Un poète pour qui l'univer est toujours dans la pomme.

Petite fleur épinglée sur un rideau noir en forme de néant,
il n'a pour toute fortune
qu'une devise (qui ne se dévalue jamais):
        La jeunesse du cœur
        c'est l'enfance de l'art!

Marc FAVREAU

La vanille appartient à ceux qui se lèvent tôt!
Tout le monde devrait écrire ça,
le soir,
sur son cornet.

— RATGRETTABLE !

— CHATPARDEUR !

J'a pas choisi
j'a pris la poubelle

Je t'a trouvée dans la cruelle,
pôvre petite,
tu désespérouillais sous la pluie
avec ton impermouillable en dedans.

Je te garde, je t'adoptionne,
je m'occupassionne de toi;
pas question de retourner dans la cruelle
où c'est plein d'affreux,
plein de chatpardeurs et de ratgrettables,
plein de camionstres très énormes,
camionstrueux qui ont toujours faim
et qui te font de l'enlèvement,
qui te secouillent
et qui t'aspirationnent toutes les petites choses
qui tiennent à toi.

D'accord tu aimes la vidangereuse,
mais réflexionne un peu;
si tu restes là sans bouger dans la cruelle
tu peux te faire arrêter pour vagabonding
par le premier polisson venu
et te retrouver en tôle!

Non, oublie la cruelle, je te garde;
après tout,
c'est toi la poubelle que j'a rencontrée!

Transgresser la rue c'est drôlement dangereux

Moi j'ose pas
à cause des autos; ça file les autos, vrroom, ça file
comme si y avait le feu;

et la plusspart du temps y en a pas;

d'ailleurs quand y a des feux c'est pire:
pôvre petit moi, je pêle-mêle toutes les couleurs,
rouge, vert, jaune, moi je suis jamais sûr;
je pense que je dois être dalmatien!

Alors j'ose pas, je piétonne sur place.

L'autre jour j'a prexe réussi;
devant moi dans la rue y avait un monsieur l'agent
qui arrêtait pas de me faire des grands signes;
je m'a dit y a qu'à l'attendre il va m'aider
et j'a attendu, attendu, attendu,
mais jamais il a venu, le pôvre, il pouvait pas il était pris!
Il avait beau gesticulationner
pas une auto qui voulait le laisser passer!

Et pourtant c'était un gros
un agent qui avait l'air d'avoir de l'assurance,
un gros énorme, un vrai agent double!

Il est encore là d'ailleurs
pôvre monsieur l'agent;
je retourne le voir tous les jours, il est là

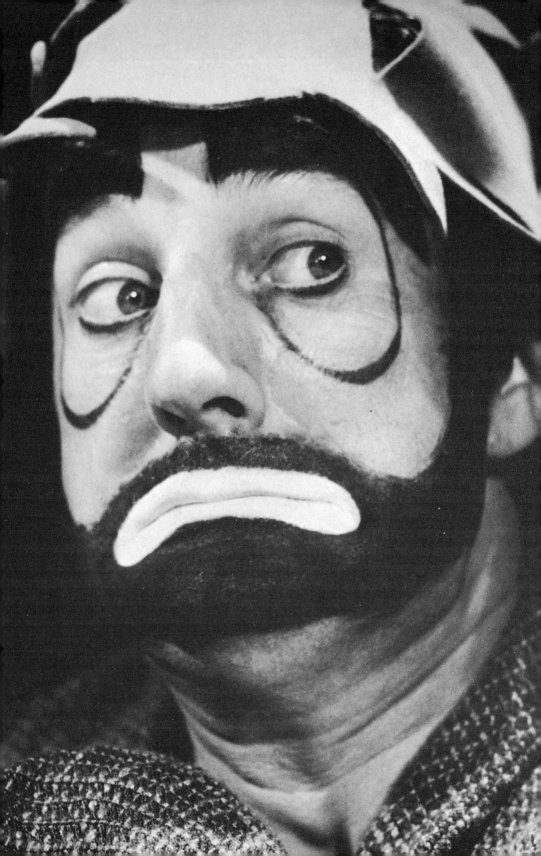

qui fait des signes et moi je fais comme lui
je lui parle avec les mains
et je sens qu'il me compréhensionne;
faut être patient, monsieur l'agent,
faut être prudent passque
transgresser la rue c'est drôlement dangereux!

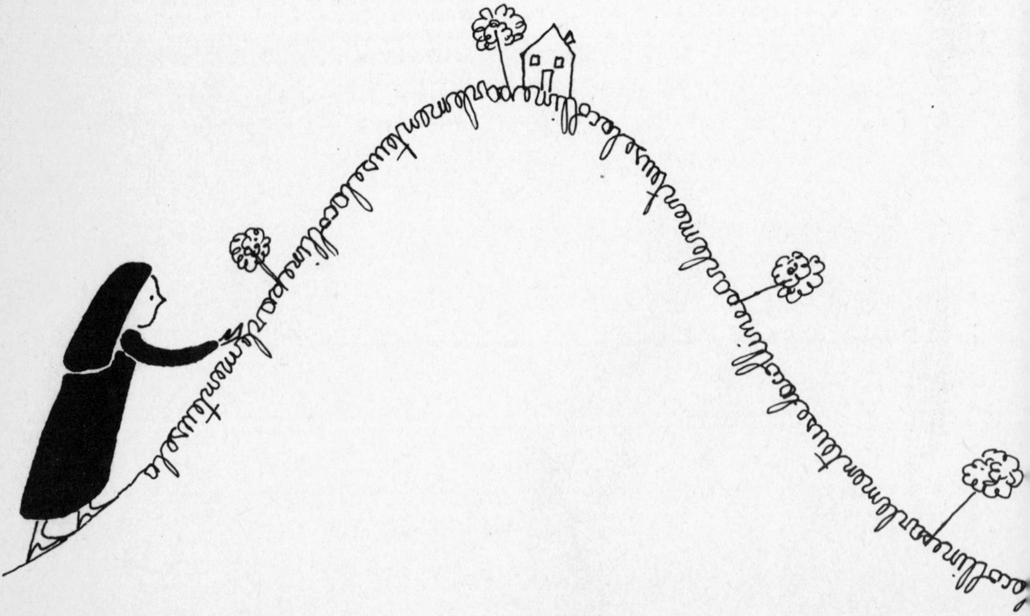

Comment la grande noire soeur devint la belle trop mince à cause de l'excentricité

Pôvre petit moi . . .
J'a toujours eu peur du noir. Toujours.
Depuis que je suis été tout petit.
Ça se compréhensionne passque dans le noir on est mal,
on voit rien, on sent rien,
on se frappine dans les immeubles, on s'encognure,
on s'accroche-pied, on se casse-tête,
on avance à tâtons rompus en criant au secours!
à la beuglette . . .

Des fois dans le noir on a de la chance,
on touche le mur. Alors là on est content, y a plus qu'à
le raser, le mur, jusqu'au bout, jusqu'au bouton.
Et là on fait ouf! et le bouton fait clic! et la lumière
éclabouille. La lumière interruptionne le noir!
Et on se pense fin, on se met à crier: J'a fait de la lumière!
C'est bête . . . Faire la lumière
c'est plus complexé que ça.
De nos jours, bien sûr, on y pense plus.
On fait clic! et boum la lumière ah!
Mais avant. Avant c'était pas comme ça. Y a pas tant
tellement longtemps, on était dans le noir, on connaissait
pas encore l'excentricité . . . On pouvait pas comprendre
le filomène excentrique, c'était un myxtère . . .
Même qu'on appelait ça l'électrinité . . . !

Bien sûr, on était pas bête, on savait qu'elle était
quelque part en haut, l'électrinité, dans les nuages,
au filament . . . Mais elle bougeait pas fort. C'était
l'électrinité statique. C'était pas encore une équipe

du tonnerre. De temps en temps, l'électrinité, elle nous
envoyait un éclair pshouitt! C'était joli à voir.
mais ça durait pas longtemps. Pas assez pour lire
en tout cas . . . Faut dire qu'au fond ça dérangeait
personne passque dans ce temps-là
personne savait lire . . .
On était dans le noir. On avait bien tout de même
une école, oui. Une belle petite école, avec une
sœur au milieu . . . Une grande noire sœur . . . !
On l'appelait comme ça passqu'elle se cachait toujours
dans une grande robscurantique . . .
Elle était drôle la grande noire sœur.
Sur la tête elle avait une corneille! Oui, une corneille
qui répétouillait toujours la même chose:
croâ croâ croâ . . . !
Et pourtant elle devait savoir des tas d'autres choses . . .

En tout cas, elle nous renseignait d'une drôle de manière,
elle gardait tout pour elle. Tout.
Alors nous, pôvres petits nous, on apprenait seulement
le cachottisme . . .
On aurait aimé si tant mieux apprendre à lire. Mais avec
la grande noire sœur, pas question.
On pouvait même pas lire le jour!
Alors forcément on restait dans le noir.

Faut dire que ça marchait pas fort son école.
Elle était pas gaie. Même qu'on l'appelait
l'institutriste . . .
Et moins ça marchait pluss elle faisait du plessimisme!

La pôvre, elle arrivait même plus à dormir . . .
C'est comme ça d'ailleurs qu'un beau matin
après une nuit blanche qu'elle avait passée
sans homme ni frère
elle s'a regardée, la grande noire sœur, scrutineusement
et elle a eu la révélation tranquille:

« J'en ai jusque-là du noir, qu'elle a dit, j'en ai assez
d'être coinçouillée entre l'incurie et le bedon . . .
Y a trop longtemps que ça bure! J'a pas envie de finir
nonnagénaire . . . ! »

Et là elle a pris une incision très grave: elle s'a dérobée.
Très complètement dérobée.
Puis elle s'a miroitée et s'a trouvée belle . . .

« Admiroir, admiroir, dis-moi que je suis la pluss belle!
— Mince alors, qu'il a répondu, t'es pas mal mais t'es
drôlement maigre! On te voit le presquelette!
T'es maigre comme un os qui aurait perdu son chien . . .
T'es mal placée pour faire la belle . . . !
Esscuse mais je peux rien pour toi.
Je peux même pas te rendre grasse . . .

— Bon tant pis ça m'est égal, moi je me trouve belle.
Peut-être je suis un peu trop mince . . . mais alors là
je serai la plus belle de toutes les trop minces!
D'ailleurs à partir de désormais tu pourras m'appeler
LA BELLE TROP MINCE . . .

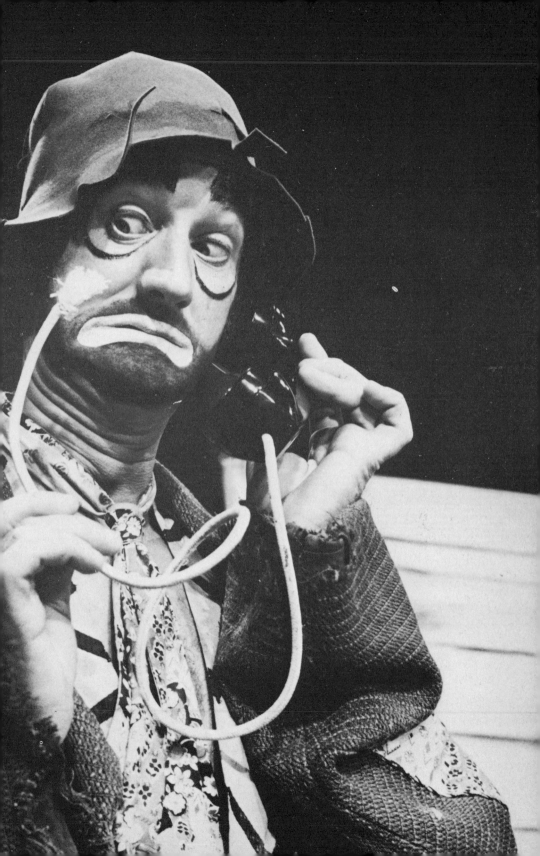

— Ouille! Tu t'as pas regardée?
T'as du chemin à faire . . .
T'en as des côtes à remonter!
Tu traînes de l'arrière-pays, ma pôvre . . .
Bien sûr, bien sûr, t'es pas complètement moche,
t'as la peaulisse, t'as des petits seindicats . . .
Mais tes jambes! T'as regardé tes jambes? Yerk!
A force de vivre agrenouillée toujours suppliée en deux
t'as les frotules tout usées!
Et puis d'ailleurs tu manques de forces . . . »

Là elle a pas aimé ça et elle a piqué une colère rouge.

« Moi je manque de forces?
Tu sauras que je suis pleine d'allergie!

— Peut-être t'en as mais tu sais pas quoi faire avec.
Tu la gaspésilles ton allergie.
Tu passes ton temps à la plat vendre
au premier parvenuyorkais! »

Là vraiment elle en pouvait plus la belle trop mince
elle avait les nerfs à fleur de lis . . .

« Ah c'est comme ça! On va voir ce qu'on va voir! »
Et tout de suite elle s'a mise à fonctionnariser.
Elle a redoré son blouson . . .
Elle s'a mise au régimnastique
pour se remonter les côtes . . .

Elle en a remonté des côtes! Toutes sortes de côtes.
Elle a même remonté la colline parlementeuse!
Et ça c'est pas commode,
y a du monde sur cette colline . . . !
Y a un monde fou! C'est la chambrée nationale qui est là.
Et tout ce monde ça bouge pas.

Passque ceux qui sont là c'est pas des bébés.
C'est des vieux. Ils ont atteint leur majorité.
Des vieux souteneurs débiles . . . qui préambulent . . .
qui se réunouillent en cactus pour piquer une jasette . . .
qui veulent pas jouer avec les jeunes . . .
Pôvres jeunes c'est dur pour eux.
Surtout les jeunes députants de la propopposition
toujours rejetée. Ils essayent de jouer. Rien à faire.
Ils lancent aux vieux des ballons,
des gros ballons gonflits d'intérêts,
mais ça marche pas
ils ont toujours la motion irrecevable . . .
Les vieux s'abjectent,
ils gardent la caballe pour eux et ils bougent pas,
ils restent assis dans la chambrée paraplégislative . . .

Mais tout ça dérangeait pas la belle trop mince
elle a entré là-dedans et sans perdre une seconde:

« Chers membres de la chambrée, et chères membranes!
Je sais que votre temps est déprécieux
et que votre honoraire est chargé

aussi je vas vous parler sans détour du trône.
Nos affaires sont pas claires!
(Peut-être vous l'avez pas remarqué passque la chambre
est plongée dans l'obsécurité) mais nos affaires sont
vraiment pas claires!
C'est pour ça que je suis là pour vous dire:
Finie la grande noire sœur!
Voici la belle trop mince!
Et pour qu'on voye enfin clair,
je réclamationne de l'excentricité.
Pluss et pluss d'excentricité!
Et si nous voulons pas que l'allergie
nous prenne par surcrise
y a qu'une chose à faire: pénationaliser l'excentricité!
Seulement, comme ça coûte cher,
on va la faire nous-mêmes notre excentricité
avec une chute, une chute bien à nous!
Et alors là quand on l'aura notre chute on pourra crier:
Finie la chambre noire pleine de négatifs
qui s'oppositionne à tous bouts de chandelles . . . !

Et alors les ébats ont commencé dans la chambre.
Ç'a été esstradinaire et anonyme!
Tout le monde était pour.
Tous les parlementeurs.
Même les jeunes qui arrêtaient pas de crier:
« On est d'accord avec la chute du garnement . . . ! »

Même les plus vieux amputés
ceux qui avaient jamais levé le petit doigt
se sont mis à taper sur leur bureaucrate
pour montrer leur inanité . . .

C'est la belle trop mince qui était drôlement contente:
« Si tout le monde est d'accord laissez-moi faire
je vas vous en trouver une chute. Et pas une petite chute
de rien du tout qui dégringouline le dimanche pour les
hydropiqueniqueurs, non! Une belle grosse grande chute
le pluss loin possible . . . Une chute libre! »

Et dès le lendemain,
dès l'aubépine elle était à l'oreille de la forêt
et bravement elle s'est églantiée dans le bois
avec seulement une bobine de fil . . .
Et marche et marche et serche la chute
tout en débobinant le fil pour pas le perdre
et serche et marche à travers la forêt touffurieuse
de pluss en pluss montagneusement . . .
même qu'à un moment donné
y avait tant tellement d'arbres
qu'elle voyait plus la forêt!
Ça, bien sûr, ça l'a rendue agreste
et elle a piqué une agricolère:

« Ah on se friche de moi! . . . Vous allez voir
de quels déboires je me surchauffe . . . ! »

– c'est un DRÔLE DE boulot...

Et elle s'a mise à couper les arbres
pour effrayer son chemin
Et coupe et coupe et coupe . . .
un drôle de bouleau!
Et puis de temps en temps elle en laissait par-ci par-là
le long du chemin et à ceux-là elle leur coupait seulement
les branches et elle les attachait ensemble par la tête
avec son fil pour pas qu'ils tombent . . .

Et marche et coupe et débobine et serche la chute . . .

Quand un beau matin . . .
Plouf! Elle tombe sur un grand missionnaire
qui était étendu là . . . c'était l'abbaie!

« Stop! qu'il a crié, va pas plus loin!
C'est ici que la terre ferme . . . ! »

Et c'était vrai. Devant elle y avait que de l'eau, de l'eau,
et encore de l'eau jusqu'à la ligne d'érosion . . .

« Pôvre pôvre belle trop mince . . .
vous avez la bobine épuisette!

— Forcément, je marche depuis des semelles . . .
Je serche une chute pour faire ma centrale
excentrique . . .

— Une chute? Ouille vous tombez mal . . .
vous tombez où y a point de chute . . . !

— Quoi faire quoi faire alors?

— Surtout faire attention passqu'on est pas tout seul ici
c'est plein d'indigents autour et depuis le temps
qu'ils sont installationnés ici ils se sentent un petit
peu chez eux . . . Ils sont pas commodes à faire bouger
les indigents très complètement impassifs et tout
enveloppés dans leur carapatience peu verbiale . . .
ils fulminent calumètement voluteusement . . .
Ils ont l'air de rien comme ça . . .
Mais quand on veut leur parler c'est des cris
toujours des cris rien que des cris . . .
On arrive jamais à s'entendre.

— Ouille! Des indigents de mon pays!
Je palpitationne de les connaître . . .
— Bon (qu'a dit l'abbaie qui était très bon) je peux
arranger ça. Mais faut pas s'énervouiller, faut y aller
doucement. Il s'agit pas de les frictionner.
Laissez-moi faire je vas leur agresser quelques
maux . . . »

Et alors l'abbaie a sorti un grand saumon de sa poche
et il leur a servi le saumon sur la montagne:

« Mes biens chers indigents, si nous avons condescendu
sur votre atterritoire c'est pour le convertir.
Laissez-nous faire notre excentricité
et vous serez hureux . . .

— Stop! Une seconde! (qu'a répliqué le chef des
indigents en lui coupant la bonne parole)
On vous voye venir.
On sait pourquoi vous survoltez notre batrimoine
en hydroplanifiant . . . Vous voulez faire le mesuring
de nos serpents de neige . . . Vous voulez descendre nos
rivières et relever nos lacs pour mieux transformouiller
nos forêts en préservoir . . . !
Et nous? Vous avez pensé à nous pôvres indigents?
De quoi on aura l'air?
Tous nos brochets d'avenir seront à l'eau
et nos réserves seront des truites!
Et nos castors? Pôvres castors
ils sauront plus quoi faire de leur peau? !

Alors nous on dit non, pas question, rien à faire!
Depuis le temps qu'on se fait voler nos
rase-marmottes . . .
et qu'on se fait faucher nos prés colombiens . . .
quand on vous voye arriver
la manicoutarde nous monte au nez . . . !

— Calmez-vous, voyons, chers indigents . . .
On est pas là pour vous faire perdre le nord
ni pour vous bourasser . . .
On est là passqu'on veut votre bien (et on l'aura!)
Réflexionnez, chers indigents: depuis le temps que
vous êtes laborigènes ici . . .
vous avez besoin de vacances!

Alors la belle trop mince qu'est là avec moi
est prête à tout faire pour vous.
Elle est prête à vous clubventionner des vacances
vermouilleuses . . .
Pour la pêche elle va vous installationner des lignes
partout . . . avec du gros fil solide . . . à haute tension . . .
Pour la chasse elle va distributionner des fusibles!
Et pour le promening elle va vous goudronner
une belle déroute . . .
et vous aurez qu'à vous laissez rouler
en autochtone . . . et pas une vieille, non . . .
une autochtone dernier cri . . . !
Alors là, chers indigents, vous serez drôlement bien.
Vous allez connaître les joies de la servilisation . . .
Vous aurez la persécurité sociale . . .
Enfin ce sera la fin de vos malhurons malhurettes . . .
ce sera la fin de toutes vos tribunations inouites . . . ! »

C'est alors que le chef s'a senti mou
et s'a mis à sourire de contentation . . .
et comme les cris étaient de moins en moins vociféroces
il a sentencé déclarationnellement:

« C'est le pluss beau massage que nous ayons reçu!
Un tel saumon mérite la pluss belle chute . . . ! »

Et laissant tomber son couvre-chef il se fouilla
dans le porte-plumes et posa sa sinécure.

La belle trop mince était tant tellement contente
elle tenait plus en place alors elle s'a transportée
de joie jusqu'en ville . . .
Et comme elle avait hâte de mettre tout le monde
au courant elle a revenu à toute vitesse
en suivant le fil
qu'elle avait rempli d'ouate passque c'était l'hiver . . .
des kilos et des kilos d'ouate . . .

Rendue en ville elle était drôlement fière
la belle trop mince de son excentricité.
C'était clair partout!
C'était clair que la chambrée nationale était vide!
Tout le monde était sorti.
Alors la belle trop mince a commencé à regretouiller:

« Ouille! Quand c'était noir de monde ici, au moins
on voyait pas qu'il en manquait . . . »

Mais elle s'a pas fâchée et elle a attendu . . .
et quand ils sont rentrés, tous les dépités, elle leur
a pas envoyé dire:

« Alors qu'essaveudire? En voilà une heure pour
rentrer?
Vous êtes inconsistants! On est au beau milieu de la
récession parlementeuse et tout le monde s'en va?
En laissant la lumière allumée dans la chambre . . . ?
Ça coûte cher ce petit jeu-là, vous avez pas

l'air de me rendre compte . . . !
Si le monde apprend qu'on fait du gaspilling?

Si le monde s'aperçouille que l'hydro gène?
Pouf! c'est fini. On saute essplosionnement!
Non, mes amis, l'excentricité faut que ça se paye.
Et d'une seule manière: avec l'augmentation des tardifs!

Pluss on est en retard moins on est là
moins on est là pluss ça coûte cher
pluss ça coûte cher moins on arrive
et moins on arrive pluss on est en retard . . .
On en sort pas.

Oublions pas qu'on est pas n'importe qui . . .
Oublions pas qu'on représaille le peuple.
Oublions pas que nous sommes l'absentélite!
Alors, quand on est pas les premiers venus
on est les pluss tardifs . . . voilà!
Alors il faut donner l'exemple:
acceptons donc l'impunition!
Montrons qu'on est capables d'une désinvolte-face!
Et accordons-nous la démagogmentation des tardifs
tant tellement méritée . . . !
Y a pas d'autres absolutions! »

Et alors la belle trop mince a publicité la nouvelle
en grosses lettres néon imposable
et tous les dépités ont dit:
« Ouille! Ç'aurait pu être pluss énormément pire
pour nous . . .
On aurait pu avoir à se mettre à travaller . . . ! »

Le gagne-petit pain

Y a des fois ça va pas. Ça va pas du tout.
Je me sens comme un déprimate
J'en peux plus d'en avoir jusque-là
J'en peux plus d'être personne
rien
un nonobscur . . . un centrigrade . . . !

C'est dur quand on sait rien faire
quand on a ni papier ni plôme
on a pas de métier on tourne en rond
on garde pas sa place
vingt fois sur la moitié faut remettre son ouvrage . . .

Ouille oui! Travaller c'est dur . . .
Moi je pense que je pourrais pas
j'aurais pas la santé . . .

Imaginationne
quand on travalle faut aller revenir
aller revenir tous les jours!
Moi je pourrais pas
je souffrirais d'assiduité . . .
Bien sûr y a le métro l'autobus . . . mais attention,
le métro l'autobus . . . ça use . . .
Et moi je voudrais pas devenir un usagé!
Je serais plus bon à rien, je serais de seconde main,
de seconde main d'œuvre . . .

Et puis quand on travalle on a toujours un exployeur
et la première chose qu'il me demanderait mon exployeur
c'est mon adresse. Là j'aurais l'air fin, j'en ai pas.
C'est vrai je sais rien faire . . . !

Et puis c'est pas tout: quand on travalle
faut jamais avoir les mains vides
jamais.
Faut pouvoir montrer sa compétence
et toujours porter sa pancarte . . .
même pour descendre dans la rue comme ça
faire un peu de promening
faut la pancarte de compétence . . .

D'ailleurs je pourrais même pas descendre dans la rue
j'habite un sous-sol . . .

Et tout ça pourquoi, au bout de la semaine?
Pour l'échec de paye?
Non. Je pourrais pas.

Y en a qui sont cadres. Bon.
Ça les regarde.
Moi en tout cas je pourrais pas être un cadre.
C'est fragible un cadre
ça peut tomber
ça se brise . . .
Et puis on sait pas toujours quoi faire avec un cadre . . .
où le mettre . . . on essaie un peu partout

à gauche à droite . . .
et la plusspart du temps, pôvre petit cadre, on finit
par le suspendre . . . !

Non je pourrais pas . . .

Sacrétaire non plus! Ça ça travalle, les sacrétaires!
Pôvre sacrétaire elle a tout sur le dos
tout!
Même une robe! Et ça coûte cher une robe
de nos jours . . .
Je sais oui y en a qui sont pas bêtes.
Y a des sacrétaires qui ont compris qu'avec un patron
une robe ça coûte moins cher . . .
Celles-là elles restent chez elles
et elles font la robe elles-mêmes
avec le patron sur les genoux . . . !

Etre un patron, tiens, ça me déplairait pas . . .
Il est bien le patron.
D'abord il a pas besoin d'aller à l'école
il a sa classe à lui tout seul
c'est la classe digérante . . .
Oui passque le patron il mange
il mange très énormément tous les jours
dans une grande assiette fiscale . . .

Et après manger qu'est-ce qu'il fait le patron?
Rien.
Il reste assis dans son fauteuil

la tête appuyée sur ses treizorillers
et il fume, le patron,
il fume tout seul
comme un mégocentrique dans son scacendrier!

Non c'est pas vrai j'exagérationne
il est jamais tout seul le patron
y a toujours plein de monde autour de lui.
Des fois il est entouré de mégociateurs . . .
et ça fume et ça fume . . .
Et ça danse aussi.
Et quand ils ont très parfaitement beaucoup fumé
ils mettent les mégots en tas
et ils dansent autour ils font la ronde
la ronde des mégociations
et ils tournent et ils tournent
et quand ils arrêtent ils ont tant tellement chaud
tout de suite ils font la conventilation collective . . .

Et alors ils se sentent bien
ils sont soulagestionnés
ils s'amusent
ils s'amusent à fracassouiller l'assiette fiscale
avec une masse
une grosse masse salariale . . . !

Ouille non c'est pas moi que j'aurais la chance d'être
un patron . . . je pense que je pourrais même pas être
un gagne-petit pain . . .

Le crépuscule des vieux

Des fois j'ai hâte d'être un vieux:
ils sont bien les vieux,
on est bon pour eux,
ils sont bien,
ils ont personne qui les force à travaller,
on veut pas qu'ils se fatiguent,
même que la plusspart du temps on les laisse pas
finir leur ouvrage,
on les stoppe, on les interruptionne,
on les retraite fermée,
on leur donne leur appréhension de vieillesse
et ils sont en vacances . . .

Ah ils sont bien les vieux!

Et puis, comme ils ont fini de grandir,
ils ont pas besoin de manger tant tellement beaucoup,
ils ont personne qui les force à manger,
alors de temps en temps
ils se croquevillent un petit biscuit
ou bien ils se ratartinent du pain
avec du beurre d'arrache-pied
ou bien ils regardent pousser leur rhubarbe
dans leur soupe . . .

Ils sont bien . . .
Jamais ils sont pressés non plus,
ils ont tout leur bon vieux temps,
ils ont personne qui les force à aller vite,

ils peuvent mettre des heures et des heures
à tergiverser la rue . . .
Et pluss ils sont vieux, pluss on est bon pour eux,
on les laisse même plus marcher,
on les roule . . .

Et puis d'ailleurs ils auraient même pas besoin
de sortir du tout,
ils ont personne qui les attendresse . . .

Et l'hiver . . . Ouille, l'hiver
c'est là qu'ils sont le mieux, les vieux,
ils ont pas besoin de douzaines de quatorze soleils . . .
non
on leur donne un foyer,
un beau petit foyer modique
qui décrépite,
pour qu'ils se chaufferettent les mitaines . . .

Ouille, oui l'hiver ils sont bien,
ils sont drôlement bien isolés . . .

Ils ont personne qui les dérange,
personne pour les empêcher de bercer
leur ennuitouflé . . .
Tranquillement ils effeuillettent
et revisionnent leur jeunesse rétroactive
qu'ils oubliettent à mesure
sur leur vieille malcommode . . .

Ah ils sont bien!

Sur leur guéridon par exemple
ils ont toujours une bouteille
petite
bleue
et quand ils ont des maux, les vieux,
des maux qu'ils peuvent pas comprendre
des maux myxtères
alors à la petite cuiller
ils les endorlotent et les amadouillettent . . .

Ils ont personne qui les garde malades,
ils ont personne pour les assister soucieux . . .

Ils sont drôlement bien.

Ils ont même pas besoin d'horloge non plus
pour entendre les aiguilles
tricoter les secondes . . .

Ils ont personne qui les empêche d'avoir
l'oreillette en dedans
pour écouter leur cœur
qui greline
et qui frilotte
pour écouter leur cœur se débattre tout seul . . .
Ils ont personne qui . . .
ils ont personne . . .

personne

Une bonne place

Je comprends pas le monde qui s'énervouille,
qui se précipitationne pour arriver au bourreau
tous les jours après jour,
qui se dépresse, qui se dépresse,
y a pas de quoi.

Faut dire que moi j'a de la chance,
mon bourreau est esstradinaire, pas comme les autres!
Et y a du monde très énormément plein!
Et comme c'est un petit bourreau
on manque de places,
tout le monde est dehors
faut voir la file!

Et personne est jamais pressé,
ça entre pas vite là-dedans.

Moi, en tout cas, tous les matins avec ma serviette
je suis là depuis des semelles et des semelles
et je suis pas encore arrivé à entrer
dans mon bourreau de placement.

Faut dire que moi, pas bête,
je m'a trouvé tout de suite une bonne place
dans la queue de la queue
où y a une morne-fontaine;
alors moi, mine de rien, je plie ma serviette
sur la morne-fontaine et je m'assoye dessus;
et quand la file avance, moi je reste là

très confrottable,
je suis pas fou,
j'a pas envie de perdre ma place.

Une petite fois j'a eu peur de la perdre:
un camion est arrivé à toute vitesse
tout rouge congestionné
de pompiers qui criaient
on a besoin de la morne-fontaine!
Moi je me crampouillais
et ils ont eu beau visser leurs noyaux
et faire de l'eau partout
ça me dérangeait pas j'avais ma serviette!

Toute la nuit j'a resté comme ça
et au matin quand tout le monde
est revenu au bourreau, j'étais toujours là,
j'avais pas perdu ma place!

Y en a qui sont drôles quand ils passent devant moi;
ils me disent: ça t'avance à rien de rester là?
Et toute la file avance avec le sourire
et à qui ils font le sourire?
À moi.
Alors je me dis si tout le monde au bourreau
il est content de moi,
je suis sûr d'avoir de l'avancement!

75

Du vent

Y en a qui ventent,
qui font du vent,
qui vendent du vent:
ça se vend bien,
le monde en a toujours besoin.

Y en a qui vendent la mèche
et les chauves sourient.
Ils vendent des peaux d'ours pas encore mortes
c'est chaud pour les pieds
mais ça coûte cher à nourrir

et puis c'est bête!

Y a aussi ceux qui vantent.
C'est pas toujours commode.
Bien sûr, vanter les choses que le monde connaît
ça va tout seul,
mais vanter l'inventable ça c'est dur;
l'inventable c'est ce qui reste à inventer,
si c'est pas encore inventé
on peut pas le vanter,
l'inventable est invantable.

Y a rien à dire sur l'inventable.

Alors moi je déclarationne:
quand on a rien à dire
faut savoir se publicitaire
une fois pour toutes!

— c'est la francacophonie !

La complainte au garnement

Si au moins j'avais des lettres!

C'est important une lettre . . .
la lettre c'est le commencement de tous les mots
et moi justement
c'est les mots qui me donnent du mal.

Je suis pas le seul, non
ceux qui étaient là avant moi
les premiers qui sont arrivés ici:
les premiers collants
ils en ont eu du mal avec les mots,
ils pouvaient pas s'entendre avec les indigents
pôvres indigents
qui parlaient pas un prêtre mot de la langue.

D'ailleurs c'est pour ça qu'on a vu arriver
toutes sortes de promissionnaires
des suppliciens
des bricollets
des gésiers
des insulines
et des dames de la congélation . . .

Ouille oui ils en ont eu du mal.
C'est pas passqu'on dialecte ensemble
qu'on se compréhensionne
ouille non! c'était vraiment la francacophonie!

Si j'avais des lettres
au moins une
je l'envoyerais
je ferais ma complainte au garnement
je lui dirais:
Monsieur le garnement libérable
(tant tellement libérable qu'il faudra bien le libérer)

Monsieur le garnement
pourquoi vous avez mis ma langue dans votre poche?
c'est pas bien c'est vilaingue!

Vous m'en donnez une autre
une langue à ficelles
mais moi de quoi j'ai l'air?
je sais pas m'en servir!

Votre langue à ficelles au juste c'est pourquoi?
Pour que j' fasse un nœud une bonne fois pour toutes?
un nœud pour que je me vous souvienne?
un nœud pour faire du remembering?
un nœud pour qu'elle soye mieux ma langue?
pour qu'elle soye mieux pendue à votre omnipotence?

D'accord monsieur le garnement
montrer sa langue au monde
d'accord c'est pas poli
mais vous trouvez ça mieux qu'on voye ma polyglotte?

Ah si j'avais un chat
même un chat dans la gorge
je lui donnerais ma langue il aurait pas le choix.

Elle est pas si tant pôvre
elle vit dans un palais!
Rendez-la-moi monsieur le garnement
laissez-la-moi tranquille

Et si sans le vouloir
je mange un peu mes mots
ma langue jamais je voudrais l'avaler
et encore moins
je jure
me la faire ravaler!
　　　Soyez assuré monsieur le garnement
　　　de mes ressentiments les pluss distancés
　　　　　　　　　　　etc., etc., etc.

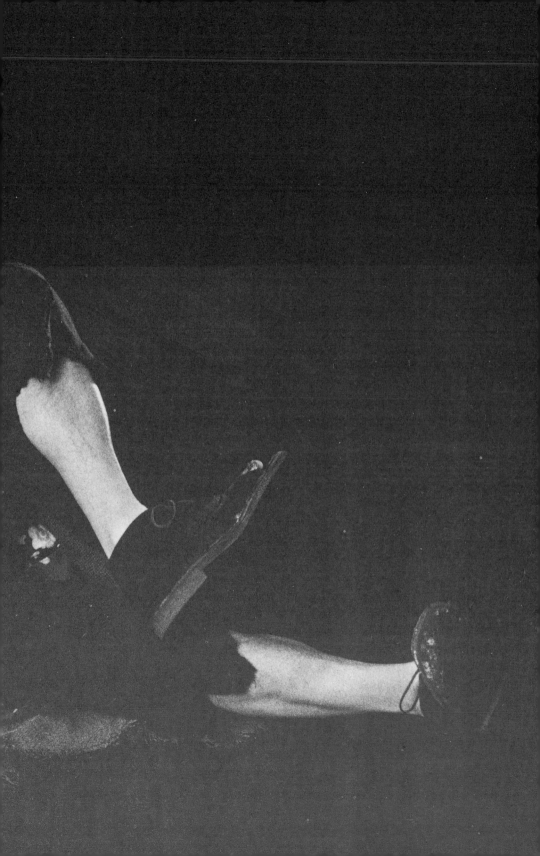

Les demoiselles à pignon

Ouille . . . qu'elles sont bizarres
les mademoiselles à pignon
pas très complètement grassouilleuses . . .
On peut pas dire qu'elles sont en forme!
Je me voye pas faire du promening avec elles dans la rue,
tout le monde rigolerait de moi . . .

C'est drôle quand même
elles ont l'air trixte;
peut-être elles attendent un amoureux,
peut-être elles en ont pas,
ça les rend malureuses . . .
Peut-être c'est moi?
Ouille oui j'aurais pas dû rire, je leur a fait de la peine . . .

Pôvres mademoiselles
faut pas être décomprimées pour ça,
j'a pas fait essprès,
c'est passque je suis pas habitouillé . . .
Je sais bien c'est pas de votre faute
s'il vous manque des morceaux,
si vous avez le nez en trompe-à-l'œil
et le chou bijou genou tout en pointu . . .

Peut-être vous avez eu un accident? Non?
Non.
Quand même vous avez de la chance
ç'aurait pu être pire:
Si vous aviez été griffées par le démondrian
il vous aurait autrement géomaîtrisé ça . . .

Quand même. Celui qui vous a fait ça
s'il continouille de faire de l'art défiguratif
avec les femmes
il ira pas loin, le pôvre!

À moins que . . . à moins qu'il . . . Oui!
Peut-être il a fait essprès . . .
Peut-être il vous aime
les femmes . . .
Peut-être il vous a compris le problème
et il veut vous aider
et il la fait lui-même, l'artisse, à sa manière
la libre aération de la forme . . .!

Pôvres mademoiselles à pignon!
En tout cas faut pas compter sur moi
pour vous réparationner,
je saurais pas, j'ai pas la main d'artisse . . .

J'aurais la main d'artisse je saurais quoi faire
avec les couleurs ouille . . .!

Souvent je pense aux couleurs et je soupiraille:

Pôvres petites couleurs !

J'aimerais tant tellement les aider
c'est pas toujours drôle la vie d'une couleur
c'est pas toujours rose . . .

Quand elle est toute petite la couleur
la première chose qu'on lui fait
on l'emprisouille dans un pot ou dans un tube
toute seule!
Jamais deux couleurs ensemble!
Elles se connaissent pas encore les couleurs
elles peuvent pas encore se voir en peinture . . .

Puis un jour comme ça par hasard
l'artisse se réveillonne et se fâche:
on a pas le droit de mettre les couleurs en prison!
Y a qu'à voir le monde
le monde est grisonnant, trixte et mélancolorique . . .
Finies les idées noires!

Et alors le grand totomatisse
devient fauvette,
il écrabouine les tubes,
il déboussole les pots,
il libérationne les couleurs et les tartine
sur une grande toile très impressionnisée . . .

Et c'est un cacao esstradinaire!

Les couleurs sont folles furieusement braques!
Elles se mésangent
et se soulagent et se superpositionnent
et se condimentationnent arc-en-cielement.
Ça vermillonne partout
le rouge gorge le noir de son carmindigo
et chauffe le violet qui fond et se guimauve . . .
et l'émerôde
l'émerôde autour des bleus
qui se turquoisent
et s'azurent et se grisent . . .
la terre fait des siennes
et dérouille les embruns . . .
le jaune se laisse aller
le jaune devient médiocre et bientôt passe au vert
vert de terre vert-de-gris et vert de jalousie . . . !

Et ça roule sur la toile
et ça roule et ça gerbe de soleil en folie
ça mirote
et ça mousse
et ça devient léger
ça moduglianise dans tous les demi-tons
l'orange cramoisit dans le buffet kaki
le matériau pèle
l'outremer déborduase
inondant la palette de chrome envahinée
qui écarlate enfin
dans une apothérose émouvantablement supercolorifique!

90

lemuselélen   lemuselélemuselélem selélemuselé le

Mais ça finit pas là.
La toile il faut la faire sécher;
on la sort, on l'étend sur la galerie
et alors là tout un monde se précipitationne
c'est l'attraction lyrique
et pas n'importe quel monde:
un monde très gratiné
toutes sortes de collationneurs de chèvres d'œuf
toutes sortes d'épicurieux
des grignoteurs de pistachistes
des dadamateurs de peinture contemporeuse
des brosseurs de tabloïds
qui peignent fin de siècle
des exhibibites en oblongues
qui ratent jamais un vermicelle
et qui viennent là pour visonner . . .
et ça clapote et ça clapote . . .

Mais le vrai tergivernissage
c'est quand les hypocritiques arrivent.
Ils se reconnaissent bien les hypocritiques
ils arrivent toujours en habit de rigueur
ou en imper réaliste . . .
Ils viennent pas là pour faire du plaisanting
ils sont là pour casser la croûte!
Ils zyeutent ils scrutinent ils examinouillent
ils manque rien
pas un petit bétail qui leur écharpe

ils ont l'œil impardonnable
et le jugement dernier . . . !

Et ils s'extasent, ils s'évermouillent,
ils se formalinent de tout
et se défulminent de rien,
ils deviennent vitupérationnels
et se racontent d'amères disances et des calcomanies . . .
mais ils s'expressionnent tant complexement
que nous on comprend rien . . .
Ils ont sûrement la langue trop fermétique!

Et pourtant y en a des choses à voir
des choses à dire sur la toile,
elle est là, elle se laisse faire,
y a qu'à la regarder la toile . . .

C'est un gigantesque pic-à-braque de guitares
en multi-cubes . . .
C'est un trésor
un riche trésor dalidada
plein de lèvres qui susurréalisent et se béquillent
dans un désert de montres molluxes . . .
Un peu partout des nez
toutes sortes de nez
des nez au cube
des nez au réalisse
des nez au futurisse
de longs nez qui s'arrêtent et font demi-tour eiffel . . .

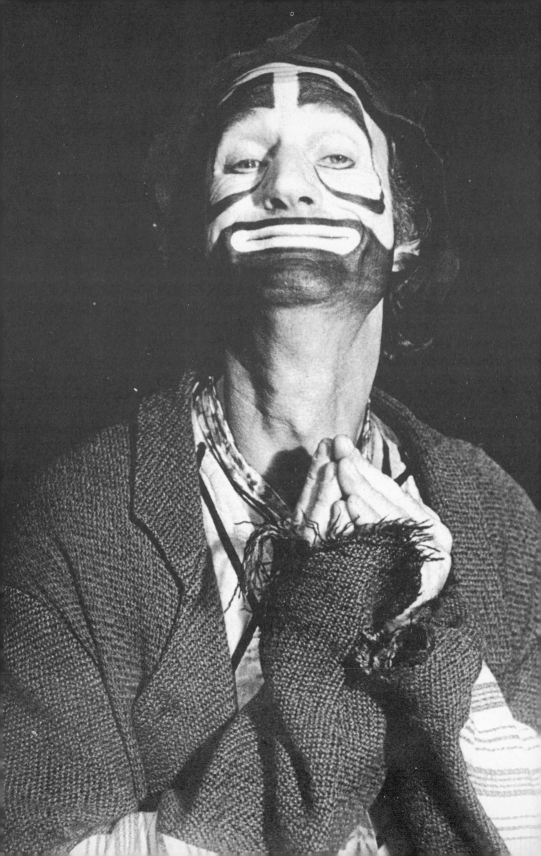

Ici c'est une ancienne belle qui magritte à vue d'œil
on la soutine
on lui fait une chirico-plasticine . . .
Plus haut c'est une chagallerie
qui plane et qui parachutise des ânes
avec leurs émules à bec . . .
Des vipères réalistes sortent de partout
en longs kimonochromes
qui motorisent le porc du bikini . . .
L'art s'amuse
et se popcornemuse . . .

Mais la toile aime pas ça,
la toile refuse global son jeune cadre angulaire . . .
Ça gronde et ça gromaire au loin
et bientôt la grenadine explositionne . . .
C'est la guernicasso!
L'affreuse qui coupe les chevaux en quatre
et sanguine les toros!
L'art exprimitif!
L'art cri!
L'art graphigne tant tellement l'environning
l'art devient cinétique si frénétique si tant bernétique
qu'on est obligé de l'enfermer
dans un muselé
avec de grandes portes pleines de fermetures . . .

Et c'est fini
la pôvre petite couleur est encore emprisouillée
elle voyera plus personne
seulement le vieux conserviteur du muselé
qui fait son promening
et qui garde
sans regarder . . .

La main d'artisse

Non j'a pas la main d'artisse
Faut un don
moi j'en a jamais reçu,
j'aurais pu faire du supplicationning
demander un conseil des lézards,
j'a jamais osé . . .

Faut un don.
L'artisse qui a pas un don
il peut rien faire
peut même pas vivre.

Non
les arts c'est pas pour moi
quoi faire alors?
avec mes deux mains gauches
quoi faire?

quoi faire à la place des arts?

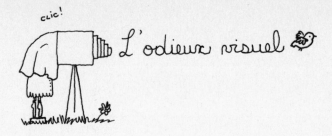

Non
les arts c'est pas pour moi . . .
C'est pas ma faute si j'ai pas la main d'artisse,
c'est la faute à personne non plus,
c'est même pas la faute au monde . . .

La faute au quoi?
La faute au . . . la PHOTO!

Ouille mais oui la photo!
C'est faxile la photo!
pas besoin d'avoir la main
n'importe qui peut faire clic!
n'importe quel creton
alors je peux . . .

Je décisionne un incision capiteuse et insubversive:
je serai photograve
et la photo sera mon évocation
je serai photograve et trouble-têtes . . .

Et je vas pas perdre mon temps à photogêner
des petites choses comme
une pôvre petite allumette qu'a perdu le soufre
ou la poussière sur la ville
ou le fil de la pensée . . .
Non.
Je vas faire des photos sensalionelles
pour les délecteurs des fournaux à pédalo . . .

Je vas me coulisser dans le monde du respectacle
dans le monde de la chaude bisbille . . .
Là on peut faire des photos ravisseuses et scandides . . .

Dans ce monde-là y a de tout:
on voit toutes sortes d'impressarire
et des impressérieux aussi
qui palmarès très riches
mais qui sont criblés de vedettes . . .
Même qu'ils sont obligés de faire des enfants
qui prodigent qui prodigent et qui deviendront
des enchanteurs à succèdanés en années . . .
Ou des enchanteresses mélodieuses
et même mélodiane
qui nous bercent
qui nous bercent le murmure du son . . . !

On voit des coproduiseurs qui coproductionnent
des coprofilms . . .
Et des cinéastucieux
qui projectionnent leurs obscénarios sur un
mécréan géant!

On voit des scripoteurs de rétrovision
des scripoteurs téléromandités
qui nous épuisodent
avec des histoires d'internes minables . . .
des histoires à dormir assis . . . !

On voit aussi des écrivaniteux
qui se laissent aller, qui se librairent,
qui goncourent à gauche à droite
à n'importe quel prix
et qui rampent le lendemain,
qui rampent de lancement en lancement . . .

On voit des comédiens errants
qui répliquent et qui répliquent
mais qui finissent sur le répertoire
à cause de leur interdiction . . .

On voit des prometteurs en scène
qui triomphent le soir de la première
et le même soir
de la jeune première . . .

On voit des actristes
de grandes actristes
qui baissent les stars
et qui s'allongent molluptueusement
sur leur divague
dans leur éloge pleine de fleurs . . .
toujours prêtes à poser pour la camélia . . . !

Alors moi
toutes ces personnagités
je les photograve pour la prosternité!
Je leur agrandis le portrait pour trait,

je monte les étoiles sur six colonnes à la lune,
je leur fais connaître la célébriété
et je les livraisonne à la foule aux yeux d'or
toute pâmoisive et à demi rationnelle . . .

Et puis non c'est pas assez!
Passque si je veux être enfin quelconque,
si je veux être l'odieux visuel,
si je veux être le pluss grand médiocre d'information
il faut que je photografixe le monde
tout le monde
le monde très parfaitement tout entier
au moins une belle grosse grande photo
qu'a pas besoin d'essplication,
une photo qui vaut dix mille morts . . . !

C'est pas si tant diffixile . . .

Le fier monde

Il est pas si tant tellement grand
le monde.

La terre est grande
mais le monde est petit . . .
D'abord faut savoir que la terre c'est une boule
toute ronde
comme une pomme
sauf qu'elle a pas de queue
(c'est pas grave qu'elle aye pas de queue
mais c'est un petit peu embêtant pour nous
on peut jamais savoir quand elle est contente).

En tout cas elle est ronde, ça c'est sûr.

Y a des drôles qui la trouvent plate
mais c'est pas vrai . . .
il arrive tant tellement de choses sur la terre
elle a pas le temps d'être plate
il en arrive il en arrive
surtout du monde
tous les jours il en arrive
c'est pour ça qu'on voye plein de monde partout . . .

Mais ça veut pas dire que tout le monde se connaît
non
c'est pluss complexé que ça
passque la terre comme c'est une boule elle roule
elle roule dans l'expace, elle tourne,

chaque jour elle fait le tour du monde
mais le monde, lui, il tourne pas
il s'agitationne, il se bousculine, mais il tourne pas
il tourne pas rond
c'est bien connu.

Il est pas fou le monde, il veut pas perdre la boule
alors il reste à la même place . . .
seulement comme il est innombreux
il est partout partout autour de la boule
alors forcément y en a qui ont le dessus
et d'autres qui ont le dessous.

Ceux qui ont le dessus sont drôlement bien
c'est les Etats riches
les Etablis
les Etats bien
les Etats munis.

Ceux-là ils ont tout, ils manquent de rien
et le reste ils l'inventairent.

Et ils ont pas le temps de s'ennouiller
ils s'invitationnent ils sont toujours à table
une belle grande instable avec des pattes de velours
couverte d'une belle grande nappemonde
avec plein d'occidentelle partout.

Ceux d'en dessous alors là c'est pas pareil

surtout pour dormir c'est pas commode
avec ceux d'en haut qui leur tape sur la tête.

Ils arrêtent pas d'avoir la tête en bas
ceux d'en dessous
alors quand ils veulent garder un pied à terre
c'est toute une hixtoire

Mais ils restent là quand même
pas question de laisser tomber
passqu'ils sont fiers
c'est le FIER MONDE . . . !

Y en a qui disent waff le fier monde ça compte pas
il se passe rien . . .

Ouille! Faut pas connaître le fier monde pour dire ça.
Il s'en passe des choses!
Surtout quand ceux d'en haut ont fini de manger
et qu'ils secouillonnent la nappemonde
ils secouillonnent, ils secouillonnent
et les miettes se mettent à tomber
et comme la terre est ronde
la plusspart du temps ça passe tout droit
alors ceux d'en dessous ils s'en passent
des choses!
Ils se passent de tout!

Mais le fier monde ça le dérange pas vraiment

il est habitouillé, il s'en fait pas,
d'ailleurs jamais il s'énervouille, jamais il est pressé,
il déménage ses efforts
et pourtant
il arrive toujours à rejoindre
les deux bambous . . .

Il s'en fait pas il sait vivre.

Par exemple le matin quand il se lève
la première chose qu'il fait sans se presser
il prend son café
et il le plante!
Pousse café, pousse café, pousse pousse . . . !

Ensuite il prend sa canne en sucre et il s'en va au champ
et là il chante
très complètement patient et curieux
toute la journée penché sur les petites plantes . . .

Jamais pressé
le fier monde
c'est comme pour manger
il peut attendre des mois des mois . . .

D'ailleurs il mange prexe pas:
il coupe le poivre en deux
il met de l'eau dans son bain
il fait la disette

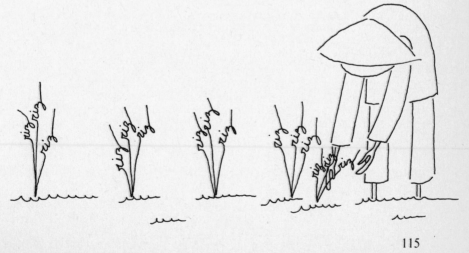

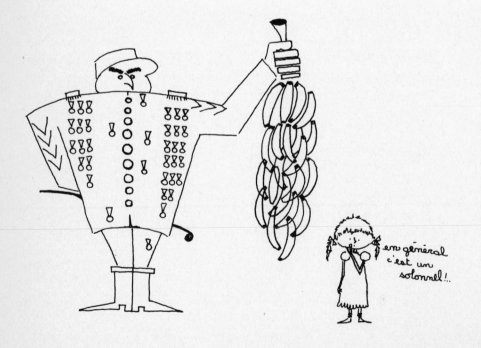

en général
c'est un
solonnel !..

gentiment
en famine . . .
Le fier monde c'est la pluss grande sobriété
de consommation!

Bien sûr comme tout le monde
il veut pas manger toujours la même chose
des fois il veut changer de régime
alors il serche il serche un nouveau régime
et même il se casse la tête pour en trouver un
et quand il le trouve
c'est un solonel!
(En général c'est un solonel)
Un gros grand solonel très fort très dynamite
qui arrive les bras chargés de bananes
et qui met ses bananes au régime . . .

Et là le fier monde est content
il jujubilationne
il remercenaire le solonel
il se dévote pour lui
et le solonel c'est pas long il le prend le vote
et avec lui ça traîne pas
c'est toujours le vote à main armée!

Et tout le monde est content
le fier monde retourne à son chant
tout le jour il passe le temps au coton
et le solonel lui il le passe au tabac . . .

Attention faut pas croire que le fier monde se repose pas!
Après manger par exemple il fait jamais la vaisselle
il fait seulement l'assiette.
Il s'étend sous un grand napalmier ou un gros maobab
et il fait l'assiette
et comme il a pas besoin de brunir
il se laisse griser
il dort dîne . . .

Puis des fois le soir il veut s'abuser
alors il danse et il rit, il aime ça rire,
il rit, il rit, il rit;
il se tornade de rire
et quand arrive la croix rouge il est content
passqu'avec elle
il est sûr de se payer une pinte de bon sang!

Ouille oui alors le fier monde il sait vivre,
il sait s'abuser!

Y a pas que lui bien sûr.
Ceux d'en haut aussi ils s'abusent.

Quand ils se font du visiting c'est pour s'abuser.
Ils se font des déceptions vermouilleuses, faut voir ça!

Les premiers qui arrivent c'est les ambrassadeurs
de bonne étreinte
qui se font l'échanging de cosmopolitesses

puis c'est les chefs
des chefs drôlement bons qui pensent toujours aux autres
qui s'écoutent jamais
qui parlent avec leurs monologues
qui se font des petites affaires étrangères
dans des rencontres au sommeil
passque l'ennui porte conseil . . .

Des fois les chefs ils amènent leurs pèquenocrates.
C'est gentil un pèquenocrate
et ça dérange personne ça reste là tout humide
avec sa serviette et appuyé sur son dossier
ça a toujours l'air dans la pluss grande
stupéfonction publique
et ça bouge pas de peur de se mettre le doigt
entre l'arabe et le corse . . .

Et puis quand ils veulent faire des cadeaux
les chefs ils amènent des admirables et des généreux
qui se lancent des fleurs
des beaux grands dépôts de géranium
enrichi . . .

Et tout ce monde-là ça bavaroise gentiment,
ça psycause de guerre et paix,
ça donne des incohérences de presse
tout en grignotant une petite coalition
à la bonne franquiste . . .

Mais les pluss belles déceptions c'est les très énormes
les déceptions mondaines
quand tout le monde est là
quand toutes les INANITIONS UNIES sont là . . .
Ça mange! et ça documange!
Faut dire qu'ils sont là pour ça et qu'y a de quoi manger:
la veille ils ont fait leur marché en commun
et la table est pleine
y a des tonnes et des gloutonnes d'aliments
pour tous les goûts: des aliments de l'ouest et de l'est . . .

Faut les voir alors se jeter
sur la soupe comme des anthropotages
et ensuite ils se rempiffrent avec la gelée latine
puis ils se nourrissonnent de yogourt slave . . .
et quand arrive le steak
le grand steakoslovaque
ils sont contents: c'est le plat de résistance
ils se dardanellent dessus
ils le biftèckent et le vivisectionnent
en tous petits moscovites
qu'ils avalisent diplomatique à toute vitesse . . .
Puis c'est la fricassée
qu'ils dévorationnent jusqu'au bout couss que couss
avec des petits points chauds
beaucoup de petits pigments
et très énormément de sahel . . .

Et même après ça ils ont encore faim.

Faut les voir quand arrive le désert
un grand désert porté par des Arabes
en espadrilles de mystères!
un désert fabuliquement riche
servi dans une grande assiettée muftinationale . . .
un désert plein de mirages
qui donne des israëllusions
(les Arabes avec leur désert ils y vont pas de mer morte!)
C'est riche! C'est des mille de cent trente-cyprioches!
Toutes les unes contre les autres
entourées de turcreries
et arrosées de sirocco . . . ! C'est riche!
Alors ils se goinfriandisent atroxement et le pôvre désert
c'est pas long il reste que des niets . . .

Et c'est pas tout. Dans les grandes déceptions mondaines
ils font pas rien que manger
ils buvardent aussi
et pas n'importe quoi
pas de l'eau de Pologne
du vrai vin
ils se versaillent de grands verres de vergogne
et ça buvarde, et ça buvarde et bientôt
tout le monde est très gai
très pharisien
et ça se met à crier: Vive la transe!

(Y en a, bien sûr, qui aiment pas le vin
comme les deux pluss grandes des inanitions unies:

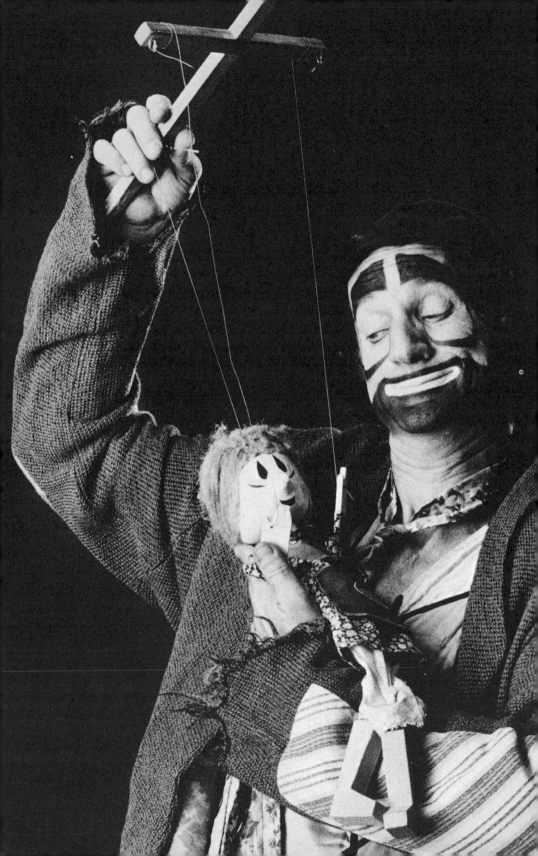

l'amnésique du nord
et la répudique qui a des soucis réalistes.
Ces deux grandes fofolles elles aiment pas le vin
alors on leur laisse la bière froide).
Et ça buvarde et ça se hongrise
et ça tombe dans la pire bulgarité!

On en voit qui ont tant tellement le boyau muni
qu'ils laissent tomber la grande bretelle . . . !
Ils s'en font deux guirlandes
et ils tirent dessus . . .

Et c'est là que se déclenche la course aux ornements
tout le monde devient fou
même les alliés de toujours
même les alliés-nés . . .

Et puis y a ceux qui ont le vin trixte
comme la clique du sud
pôvre clique du sud elle peut pas buvarder
elle fait une répression nerveuse
elle reste dans son coin
elle broie du noir . . .

Y a ceux qui prennent le nord aux dents
et le nord se laisse pas faire il se scandinave
il se péninsulte . . .

Y a ceux qui perdent la tête, qui décapitulent
et qui se retrouvent comme des trépanations . . .

C'est épouffroyable
c'est un macao terriblifique
l'ethmyopie se tape le négus partout
la belle gifle son flamand
on s'arrache les cinq condiments
on se tire sur la pipeline
on déterre les moratoires
on se traite de musulmenteurs
et ça pétarabe, ça pétarabe, ça pétarabe . . .

L'indigne nation s'empare des diplotomates
et les lance partout sur la nappemonde
et ça, les serviettes aiment pas ça
surtout la serviette suprême . . .
les serviettes volent partout
et ça métaformose la chine
les serviettes frappent
l'amnésique se fâche
elle pique une protocolère
l'amnésique sort de ses gonds
et les serviettes cognent
les serviettes cognent de pluss en pluss
c'est la salade
la salade de la violette
qui monte de pluss en pluss violette
jusqu'au bout
jusqu'à perpétrole
jusqu'à l'épuigisement . . . !

Puis ça se calme.

Forcément. Après l'épuigisement ils ont plus de force!
Ils ont même plus la faible petite force
de se lancer des olives nucléaires . . .

Heureusement pour la vieille qui nettoie les dégâts
à mesure,
la vieille démocrasseuse.
Elle serait pas d'accord avec les olives
pour elle ça serait inadmissile
elle qu'est déjà tout alarmée toute pentagonisante
avec un pied dans la tombe atomique
elle aurait bien trop peur de plus jamais
être capable de faire le ménage
de sa purée publique
elle aurait trop peur de plus jamais
être fière de son monde . . .

Pôvre vieille démocrasseuse . . . !

 La décadanse

Des fois pour me désennouiller
ma petite vadrouille se prend pour un balai
un grand balai esstradinaire!
      Et là c'est vermouilleux
      on fait le dansing tous les deux
      On saute on vire on volte
      très tourbillonnement . . .
      on fait le grand béjart dans le lac des singes
      de pire en pirouette
      jusqu'à la décadanse moderne . . .

Pôvre vieille petite vadrouille
vieille tant tellement qu'elle a toujours peur
d'être jetée battue chassée
entrechat et loup
même s'il y a pas un chat
pas de loup
même pas de deux
et encore moins de trois
trois petits ours et puis s'en va . . .

      pas de chance! ouille non alors . . .

Moi, j'a jamais eu de chance!

Non,
C'est pas vrai;
une fois j'en ai eu,
une fois,
la première fois:

Je suis né le même jour que ma mère m'a mis au monde!

Ça c'est de la chance.

Mais après,
ouille!
tout de suite après je m'a mis à avoir peur,
peur de plus avoir de chance;
alors la chance est partie
et y a resté que la peur . . .

La purée culture

Quand j'a vu le jour, c'était la nuit,
la peur m'a pris
et m'a gardé;
pôv' petit moi, j'étais tout bleu,
tout bleu de peur, très apeuré.

J'aurais aimé être désiré,
j'aurais désiré être aimé,
mais quand on n'est qu'un rejeton
c'est normal qu'on soye rejeté.

Quand je miaulais wa wa wa wa
ma nourrissante me nourrissait,
bourrait bourrait mon tube conscient
avec de la bouillie pour les chats.

Elle me disait t'en as de la chance
d'avoir rien qu'une bouche à nourrir;
manger manger la bonne purée
c'est ça la vraie purée culture!

J'aurais aimé être désiré,
j'aurais désiré être aimé,
mais quand on n'est qu'un rejeton
c'est normal qu'on soye rejeté.

Je suis resté tropmatisé
dans la purée, dans la torpeur,
peur d'en manger, peur d'en manquer,
peur de bouger, peur d'avoir peur.

Peut-être qu'un jour un jour viendra
j'aurai plus peur de la purée,
j'aurai grandi, j'aurai poussé,
poussé un cri: j'en ai assez!
assez de purée
puréfléchir
purépliquer
puréclamer
purétorquer j'en ai assez!
J'en ai assez pour commencer
pour commencer à m'en sortir
à m'en sortir parce que j'ai faim
faim de savoir le mot de la fin
et faire le tour de mon jardin
et faire le tour
de MON jardin!!!

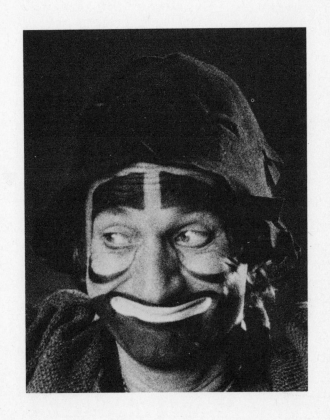

Coupe tes ficelles

Pôvre petite
marie honnête
pleine de ficelles!

Si tu veux pas toujours être la moitié de quelqu'un
faut grandir
faut de la grambition
faut apprendre à dire non

A force de dire oui
tu finiras par le perdre ton nom
et il sera trop tard;
tu voudras te libre aérer
trop tard!
tu seras emprisouillée;
toute la journée tu joueras de l'épousette
tu seras la ménagère approvisionnée
qui pousse la poussette chez le marchand rétro
rétrograde A
grosseur moyenne
tu seras la consommatrice désaffligée
qui rêve à son étoile
à sa comète
la tête en bas dans sa cuvette
tu seras la dinde du foyer
avec la décoration inférieure
tu passeras l'aprèsméditation en transe et en dentelles
tu seras une femmeuse détériorée
très complètement décaféinée

qui en peut plus le soir
et qui décapitule qui décapitule
qui décapitule ce qui reste à faire à fer à repasser
à fer à friser à friser la folie!!!

Mais si t'as la grambition tu seras esstradinaire!

Peut-être une écrivaine rétromantique
qui décrit ses manoirs,

peut-être une téléctuelle
qui a le haut parleur et le bas bleu,

ou une pro musicale qui se joue des sornettes à la lune,

ou une divaporeuse
qui baigne de luxe dans les bulles paraffinées,

ou une femme de fer dans un gant de crin
qui conduit elle-même son autonome,

ou même une institutriste
qui a de la classe
tant tellement de classe qu'elle est impayable!

Coupe tes ficelles!
Coupe tes ficelles et tu seras quelqu'une!

Couchemard sur une psycatalogne

J'a fait un rêve esstradinaire!
J'étais dans la rue et j'essayais de préambuler
tranquillement . . . mais ça marchait pas
j'avais la démarche infructueuse
j'étais pas tout seul dans la rue
y avait la foule qui filait qui se défoulait
qui me refoulait!
Pôvre petit moi je me sentais comme un petit
compressé . . .

Et tout à coup j'a eu une aspiration
une porte s'a ouverte
et une main m'a grippé par le manteau!
J'étais comme locomotivé
j'étais inspiré dans la maison
et quand j'a été là dans l'intérieur
qu'est-ce que je vois au bout de la main?
Une belle grande fébrile toute blanche
avec deux grandes stresses dans les cheveux
et un tétanoscope qui lui pendait là
sur le centre médical . . . !

Tout de suite j'a eu le cœur qui s'a mis
à bilboquer dans ma poltrine
je voyais bien qu'elle faisait de l'épathologie . . .

— C'est gentil de venir me voir, qu'elle m'a dit.

— Ouille j'a pas fait essprès, que j'a répondu,
   ç'a été plus fort que moi.

— Donnez-moi votre manteau.

— Ouille non alors je le donne pas
   peut-être il est vieux mais je veux pas le donner
   peut-être c'est un déficient manteau mais je le garde
   je suis pas venu là pour me faire démanteler!

Elle continouillait de sourire très gentille
elle regardait ma fleur
(dans mon rêve j'avais une fleur sur le manteau
près du cœur)

— Oh comme vous avez une belle névrose!

— Ouille oui je l'a toujours eue
   tout petit déjà j'avais la névrose à la pouponnière . . .

— Vous aimeriez pas faire un peu de reposing?
   Détendez-vous sur mon divague
   faites comme chez moi

Moi alors j'a pas dit non
c'était un beau divague très molluptueux
alors je m'a détendu elle s'a assise à côté

— Allez-y maintenant dites-moi tout
    faites le récidivan de votre vie
    déblatérez-moi toutes vos sornettes
    je vous écoute ayez pas peur
    je suis là pour ça les gens viennent ici ils se détendent
    et ils psycausent ils psycausent
    et moi j'écoute je suis la psycatalogne

Mais moi je pouvais pas ça sortait pas
rien à faire j'étais comme imbibé
j'avais un blocage thoracique

— Allez-y serchez serchez dans votre jujube conscient

Moi j'avais beau me creuser la crécelle
mon globe frontal s'allumait pas

— Essayez de vous souvenir
    quand vous étiez petit comment c'était

— Ouille c'était grand!

Et toujours elle était là suspendue à mes lèvres
(c'est lourd à la fin)
mais elle restait gentille
même qu'elle m'a parlé de mes parents
elle m'a parlé de ma mèrancolique
et de mon pèranoïaque
elle avait l'air de les avoir connus

c'était bien de la chance pour elle passque moi
quand j'étais petit je peux pas dire que mes parents
je les voyais souvent
je pense que j'avais des transparents!

Puis tout à coup elle m'a dit
— Est-ce que vous rêvez?

— Si je rêve? Tu parles que je rêve
    j'arrête pas de rêver
    je suis solnambule
    et toujours je fais le même rêve
    je rêve que tout le monde est malade mais pas moi!
    Je vois une petite carriole qui passe
    tout le monde court après tout le monde l'attrape
    mais pas moi!
    Et pourtant je cours moi aussi, je cours, je cours
    mais j'avance pas, jamais j'attrape la carriole
    je cours mais je reste à la même place
    je suis mal je me sens pas bien j'ai peur
    d'autant pluss qu'un gros chien épouffroyable
    un gros chiendent me poursuite
    j'a une peur atroxe une peur affreude!
    J'a tant tellement peur que mes chevaux se dressent
    se dressent sur ma tête
    et pour me sauver je saute sur mon encéphale
    et je cours à toute vitesse je fais de l'équation
    sur mon alzèbre
    je cours je file je me mets à voler

je vole je plane
avec mon manteau plein de poches d'air
je vole je monte je suis violancé dans le ciel
un ciel terriblifique
un ciel d'orange avec des éclairs au chocolat
un vrai démenciel . . . !
et je monte encore plus haut jusque dans l'atrocephère!
et là je suis tant tellement haut que j'a le prestige
je suis déphrasé je me dégyroscope et je tombe
c'est la chute
la chute verte et oléagineuse je tombe je tombe
dans une presse à épices je tombe
dans un goinfre sans fond
je m'abîme
et je dixparais
dans l'entonnoir fatal du fainéant final . . . !

Et quand je me réveille je suis dans un champ
je suis bien il fait chaud
et je suis là sous le soleil de l'anxiété
en train de cueillir des angoisses . . .

Alors la psycatalogne m'a dit:
— Bon si vous faites des couchemars comme celui-là
    c'est passque vous êtes toujours tout seul
    faut pas rester tout seul faut essayer de faire des choses
    avec d'autres . . .

Et quand elle a voulu que je passe
avec elle l'aprèsméditation en transe et en dentelle
là j'a eu peur
et encore pluss peur quand elle a dit qu'on ferait aussi
de la dynamite de krupp!
Alors là non j'a dit non et je m'a sauvé
je suis quand même pas un anarcisse . . . !

Fleur de fenouil

Quand tu t'abeilles pour être belle
quand tu te piques d'être la rose
la rose au bois sans épinette
amanthe poivrée
parfait parfum
fine farine
fleur de fenouil
quand tu arrives, c'est le bouquet!

Reste pour moi
celle de la mer, celle de la terre,
ne change pas
tu deviendrais pareille à celle

celle qui grignotte des illusions
et pour qui les marottes sont cuites,

celle qui s'endiète pour maigrir
et qui s'aigrit et qui s'aigrit,

celle qui fricotte à reculons
et qui se nouille dans le beurre mou,

celle qui s'attache à la casserole
et qui tempête dans un verre d'eau,

celle qui déteste la vaisselle
et qui s'en fait une montagne,

celle qui retourne les homelettes
et qui se retrouve sur la tablette,

celle qui rêve de monsieur net
et qui mijote au bain-marie,

celle qui fait la grasse matinée
dans le ravioli conjugal,

celle qui comtesse et qui blasonne,
báronne blasée qui fait la moue,
toujours la moue, encore la moue,
toujours à la troisième personne,

celle qui fricasse dans les colloques,
qui est pluss néo que démocrate,

celle qui pose des colles aux affiches
et qui rouspète le feu sacré,

celle qui pleut comme fontaine
qui a jamais plus ni jamais pu
et qui tricote et se console
en faisant des marmots croisés,

celle dont l'hydro veut rien savoir,
qui aimerait bien passer l'hiver
mais qu'on veut plus mettre au courant,

celle qui n'attend plus qu'on l'appelle,
qui a décroché une fois pour toute,
qui répond plus quand on la sonne,
elle s'est pendue au téléphone.

Ne change pas, reste pour moi
celle qui s'arrose un soir de fête
à petits verres dans un grand pot,
celle qui déride pour mieux songer,
songer à qui? son géranium.

Amanthe poivrée
parfait parfum
fine farine
fleur de fenouil
ne change pas
reste en bouquet.

En hommage
à Félix Leclerc

La fête

J'avais un mouton . . . je l'ai perdu.

Les bêtes elles me compréhensionnent
alors je les aime;
d'ailleurs pluss elles sont bêtes pluss je les aime,
c'est bête mais c'est comme ça.

Mais j'aime aussi la fête
et là ce qui m'embête c'est que les bêtes
ça sait pas faire la fête . . .
quand on est bête on sait pas s'amuser
la fête arrive
on sait pas quoi faire avec
et on reste bête!
Faut dire que quand on vit à quatre pattes
on est toujours aux pieds de quelqu'un
on voit des pieds rien que des pieds toute la journée
on pense pas à la fête
y a loin des pieds à la fête
et puis à quatre pattes ça danse mal.

En tout cas mon mouton à moi il savait pas s'amuser . . .
pour lui la fête c'était une parade à regarder passer.
Il restait là planté sans bouger tout pâle tout blanc
comme un emblême . . . Et moi j'avais beau dire
c'est pas ça la fête,
c'est pas de rester planté
comme un petit peuplier sans histoire
à se nourrir de miettes et de compote d'espoir!

159

La fête c'est pas de faire la majorette silencieuse
et regarder passer des joueurs de saxons
qui fanfaronronnent parce qu'ils ont la grosse caisse
et qu'ils peuvent se payer
des chars de pluss en pluss catégoriques . . . !

Non la fête c'est pas ça.

La fête c'est quand ça bouge,
quand tout est à l'envers,
quand la montagne est plaine plaine à craquer,
quand les amoureux s'aiment comme des tourtières

alors là c'est la fête

on chasse le chien polisson
et on laisse boire le caribou
et toutes les corriveaux sortent de leur cage
les bois sont à l'ail
et le bûcheron se met à jouer de l'épinette
l'éperlan se dépêche
et les petits poissons chenaillent chenaillent
l'escargo descend le fleuve
le bigorneau crevette de rire
et les goélettes sont en haut tout en haut du rocher
perchées

et alors le ragoût remonte sur ses pattes
la gourgane court à la soupe

on se cretonne la tartine
on s'arrose de sirop considérable
on se pourlèche la farlouche jusqu'à ruine babine

et le géant se lève
le géant de l'île passe le pont
et tout le monde le suit sur le pont de l'île
tout le monde y danse
tout le monde gigotte la gigue du géant
tout le monde devient géant

géants de l'eau
géants de l'air
géants du pays
qui font la ronde et dansent carré
sur un violon
petit violon de plus en plus pointu
pointu pointu
pointu . . . !

C'est ça la fête.
C'est ça qu'on récolte quand on s'aime bien . . .

Mais mon mouton voulait rien savoir
et un jour il a suivi la parade qui passait
et jamais il est revenu
la parade non plus d'ailleurs
elle était passée
très complètement passée de mode . . .

Pôvre mouton
il a dû aller se faire tondre ailleurs.
Où il est maintenant? Je donne ma langue au chat.

Et puis non! Je la donne à la chatte
(maintenant j'ai une chatte pour me consolationner
du mouton)

Elle va en prendre soin la chatte
de ma langue.
Et puis ma chatte
je suis sûr qu'elle aura une pluss grande portée
que mon mouton . . . !

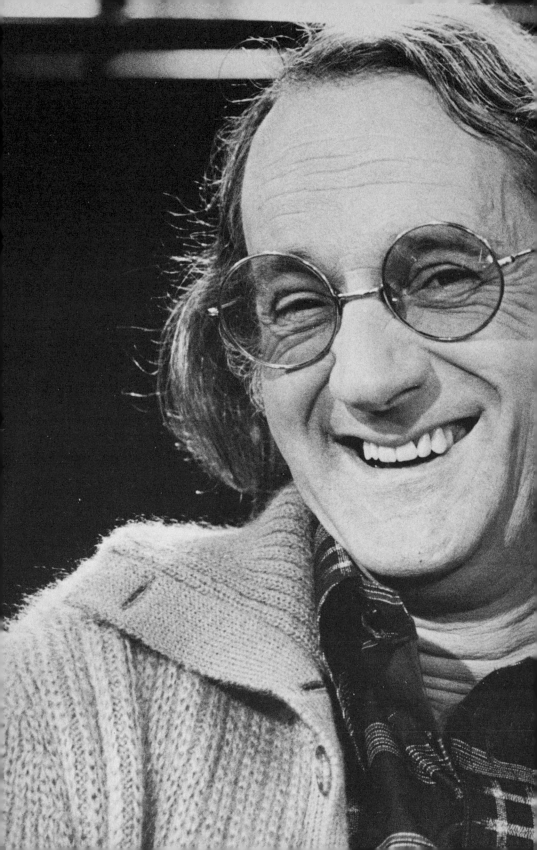

NOTES BIOGRAPHIQUES.

Marc FAVREAU, comédien et auteur.

Né à Montréal en novembre 1929, au tout début de la crise mondiale. (Il jure toutefois n'y être pour rien.)

Apprentissage à Montréal avec Jean GASCON, Jean DALMAIN, Jean-Louis ROUX et Guy HOFFMAN (1950-53), suivi d'un stage à Paris avec Jean VALCOUR (1954-57).

Depuis, de nombreux rôles à la télé montréalaise. Feuilletons divers *(14 rue de Galais, Le Survenant, Symphorien),* dramatiques dont notamment: *Ne te promène donc pas toute nue* (Feydeau) et *L'Homme, la Bête et la Vertu* (Pirandello).

Principaux rôles à la scène:
Pierrot *(Don Juan,* de Molière, Théâtre du Nouveau-Monde) 1954
L'Intimé *(Les Plaideurs,* de Racine, Théâtre-Club) 1959
Arlequin *(Le Jeu de l'amour et du hasard,* de Marivaux, Nouvelle
    Compagnie Théâtrale) 1966
Harry *(Love,* de Shisgall, Théâtre de 4 sous) 1967
Dario *(Faut jeter la vieille,* de Dario Fo, au TNM) 1969
Le Grand *(Les Archanges,* de Dario Fo, au TNM) 1971
Arlequin *(Commedia dell'arte,* de Marc Favreau, à la NCT) 1971
Auguste *(Auguste, Auguste, Auguste,* de Pavel Kohout, NCT)
    1971

Sa meilleure école fut toutefois une participation continuelle, de 1958 à 1972, à plusieurs séries télé pour les jeunes: *Les Enquêtes Jobidon, Le Courrier du Roy, La Boîte à Surprise* et comme comédien et auteur, *Les Croquignoles,* et surtout la série *Sol et Gobelet,* demi-heure hebdomadaire d'un tandem de clowns jamais sevrés d'absurde, et au terme de laquelle Sol avait atteint l'âge auguste de 14 ans!

Depuis 1972, devenu égoexcentrique, il soliloque par le biais de son enfant Sol, qu'il a projeté sur scène afin de satisfaire les folles de tous les logis!

Achevé d'imprimer
en septembre mil neuf cent quatre-vingt
sur les presses de l'Imprimerie Gagné Ltée
Louiseville - Montréal - Canada